PREMIÈRES EXPÉRIENCES

Les Oursons Berenstain

et la NAISSANCE d'un BÉBÉ

 Distribué au Canada par Grolier Limitée. Imprimé au Canada. Dépôt légal, 2e trimestre 1987. Bibliothèque nationale du Québec
1234567890 ML 6543210987
ISBN 0-7172-2209-8

et la NAISSANCE
d'un BÉBÉ
Stan & Jan Berenstain
Grolier Limitée MONTRÉAL

Au plus profond du Pays des Ours, au détour d'un chemin ensoleillé, vivait une famille d'ours. Il y avait papa Ours, maman Ourse et Petit Ours.

Ils habitaient dans un grand arbre que papa Ours avait creusé et transformé en maison.

C’était une très jolie maison. Voilà à quoi ressemblait l’intérieur.

L'enfance de Petit Ours était très agréable et amusante.

Il aidait papa à récolter le miel dans le vieil arbre . . .

et maman à apporter les légumes
du potager.

Au Pays des Ours, Petit Ours découvrait un tas de choses merveilleuses. Il y trouvait aussi de nombreuses distractions.

MA MAISON

Petit Ours aimait vivre dans un arbre . . . avoir sa propre chambre . . . et dormir dans ce petit lit confortable que papa Ours lui avait fabriqué.

Mais un matin, Petit Ours ne se sentit pas bien. Il s'était réveillé avec des douleurs dans les genoux et les jambes.

«Petit Ours, ton lit est devenu trop petit pour toi», dit papa Ours en finissant de s'habiller.

«Nous allons aller chercher du bois dans la forêt aujourd'hui même pour que je te fabrique un lit à ta taille!»

Puis papa avala son bol de flocons d'avoine . . .

prit une bonne gorgée de miel . . .

empoigna sa hache et
sortit.

«Papa, papa», appela Petit Ours. «Qu'est-ce qu'on va faire de mon petit lit?»

«Ne te fais pas de souci pour ton lit, Petit Ours», dit maman Ourse en refermant la porte derrière lui.

Elle esquissa un sourire et caressa son ventre, qui depuis quelque temps était devenu très proéminent.

«Ce lit est devenu trop petit pour toi juste à temps!»

«Qu'est-ce qu'on va faire de mon petit lit?» demanda Petit Ours quand il eut rattrapé son papa. Mais papa, qui était en train d'aiguiser sa hache sur la meule, ne l'entendit pas.

«Tu as vraiment besoin d'un lit dans lequel tu puisses t'étirer et qui ne te causera plus de douleurs dans les jambes.»

Papa Ours
vérifia si la
hache était bien
tranchante,

puis se dirigea
vers la forêt.

«Qu'est-ce qu'on va faire de mon petit lit?» demanda encore une fois Petit Ours en rattrapant papa dans la forêt. Papa avait abattu un arbre et était en train de le débiter.

«Nous allons très bientôt avoir un bébé qui aura besoin de ce petit lit», dit papa Ours en donnant un grand coup de hache dans le tronc.

«Un bébé?» dit Petit Ours étonné. (Il n'avait pas remarqué que le ventre de maman Ourse s'était beaucoup arrondi depuis quelque temps. Il avait *toutefois* remarqué qu'il lui était de plus en plus difficile de s'asseoir sur ses genoux.)

«Il va arriver bientôt ce bébé?»

«Oui, *très* bientôt», répondit papa.

Il donna un dernier coup de hache. Voilà, il avait maintenant assez de planches pour faire un plus grand lit à Petit Ours.

Ils fabriquèrent un lit d'une bonne taille et passèrent le reste de la journée à le poncer et le limer pour qu'il soit lisse.

Ils le transportèrent ensuite jusqu'à la maison et le montèrent dans la chambre de Petit Ours.

Lorsqu'ils entrèrent, Petit Ours remarqua immédiatement que son ancien lit avait disparu.

«Mon petit lit!» s'exclama Petit Ours. «Il n'est déjà plus là.»

«Il est devenu trop petit pour toi juste à temps», dit maman qui était dans la chambre mitoyenne.

«Vite, viens voir.»

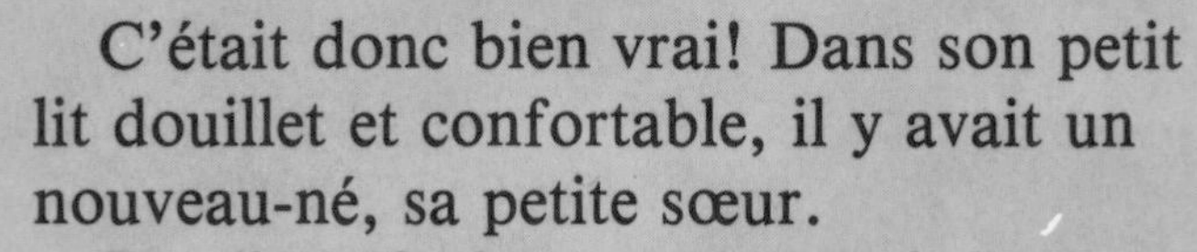

C'était donc bien vrai! Dans son petit lit douillet et confortable, il y avait un nouveau-né, sa petite sœur.

Son lit était devenu trop petit juste à temps. Et puis, à partir de maintenant, il était frère, il était le *grand frère!*

Elle était toute petite mais très vive. Quand Petit Ours se pencha au-dessus du lit pour la regarder de plus près, elle lui donna un coup de poing sur le nez.

«Hum!» s'exclama Petit Ours. «Elle est drôlement forte pour un petit bébé.»

Ce soir-là, il s'étira fièrement dans son grand lit.
«Ça va être très amusant d'être grand frère», dit Petit Ours.

MA MAISON

Le lendemain matin, il se réveilla frais et dispos. Il n'avait mal nulle part.

Son nez, en revanche, était un peu endolori.